DÉCOUVRIR LA NATURE

Comment les animaux se protègent-ils?

Le danger guette partout

① Le grand mange le petit.
② La plupart des serpents sont carnivores.
③ Le vautour se nourrit des restes des prédateurs.
④ Tous les félidés sont des carnivores.
⑤ Les félidés ne chassent que lorsqu'ils ont faim.

Les grenouilles mangent les sauterelles,
les serpents mangent les grenouilles,
et les aigles mangent les serpents.

Dans la nature, le danger est partout.
Tous les animaux se protègent contre le danger.
Chacun a sa manière pour le faire.

▲ Les girafes voient arriver leurs ennemis de loin. Elles donnent de méchants coups de patte.

Nous sommes grands

Les animaux de grande taille se défendent généralement mieux que les petits. Certains d'entre eux sont même armés : ils sont pourvus de cornes ou de défenses.

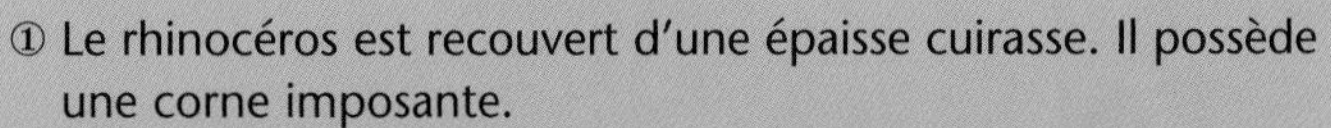

① Le rhinocéros est recouvert d'une épaisse cuirasse. Il possède une corne imposante.
② L'hippopotame se sent en sécurité dans l'eau.
③ Le bison américain est grand et fort. Les prédateurs hésitent avant de l'attaquer.
④ Les éléphants sont grands et lourds. Ils ont également une peau épaisse.

① Les grenouilles s'abritent au moindre danger.
② Les lapins détalent au moindre bruit.
③ Comme tous les félidés, le guépard est extrêmement rapide.
④ Les kangourous bondissent pour s'enfuir.
⑤ Les lémuriens disparaissent dans leurs galeries au moindre danger.
⑥ Les mouettes s'envolent en cas de danger.
⑦ Les autruches ne volent pas, mais elles courent très vite.

▲ Les impalas sont très rapides et changent constamment de direction afin d'échapper à leurs ennemis.

Nous sommes rapides

Certains animaux courent, nagent,
rampent ou volent très vite.
Lorsqu'ils aperçoivent un ennemi,
ils s'enfuient ou se mettent à l'abri.

Nous vivons en groupe

Dans un groupe, un ou deux individus montent la garde. Dès que la sentinelle aperçoit un ennemi, elle alerte la communauté. Tous les individus prennent la fuite.

▼ Les gnous vivent en grands groupes.

① Les éléphanteaux restent près des adultes.
② Au moindre danger, les zèbres s'enfuient dans tous les sens.
③ Que voient ces kangourous ?
④ De nombreux oiseaux vivent en bandes.
⑤ Les lémuriens utilisent des sentinelles.
⑥ Lorsque cette nuée de papillons s'envole, elle sème la confusion chez le prédateur.

①
②
③
④
⑤
⑥

Nous sommes terrifiants

Certains animaux s'efforcent d'intimider leurs ennemis en faisant beaucoup de bruit ou en s'agitant violemment dans tous les sens.

▼ La mante religieuse agite les pattes antérieures pour intimider l'ennemi.

① L'autruche bat des ailes et lance un regard menaçant.
② Le chat fait le gros dos et crache.
③ La chenille répand une odeur nauséabonde.
④ L'âne se met à braire bruyamment.

Blindés ou couverts de piquants

Les animaux recouverts d'une cuirasse mènent une existence relativement paisible. En effet, lorsqu'ils se font attaquer, ils se cachent dans leur maison ou ils s'enroulent dans leur cuirasse.

En cas de danger :
① L'escargot se retire dans sa maison.
② L'échidné redresse ses piques.
③ La tortue rentre dans sa carapace.
④ Le tatou se roule en boule.
⑤ Le chien montre les dents et grommelle.

▲ Le porc-épic est recouvert de piques.

Les piquants servent également à éloigner les agresseurs. Aucun ennemi n'aime se faire piquer.

①
②
③
④
⑤

▼ Le mouflon est armé d'imposantes cornes qui effraient les prédateurs.

Nous sommes armés

Des dents acérées, de longues griffes, des cornes pointues : ce sont des armes redoutables que les animaux utilisent pour se défendre.

① Le sanglier présente de grosses défenses.
② La gueule du crocodile est sertie de dents acérées.
③ Le crabe est armé de deux pinces.
④ Les serpents venimeux ont des crocs à venin.
⑤ Les poils de la chenille provoquent des démangeaisons.

Nous sentons vraiment mauvais

Lorsqu'ils se sentent menacés, certains animaux diffusent des odeurs nauséabondes. L'odeur est parfois tellement forte que les prédateurs prennent la fuite. Rares sont les prédateurs qui dévorent une proie qui sent mauvais.

▲ De nombreuses punaises répandent une mauvaise odeur.

① Les martes projettent un liquide nauséabond.
② Le putois ne doit pas sa réputation au hasard.
③ Les mille-pattes diffusent également de mauvaises odeurs.
④ Certains coléoptères se défendent à l'aide de leur odeur.
⑤ Les bousiers se nourrissent de bouse et sentent la bouse.

① Vois-tu ce papillon de nuit ?
② Ce papillon ressemble à une feuille morte.
③ Le camouflage est très efficace.
④ Est-ce un faucheur ?
⑤ Certaines chenilles se cachent dans un abri qu'elles ont tissé elles-mêmes.
⑥ Les phasmes ressemblent à des branches.

Nous nous camouflons

Certains petits animaux sont parfois difficiles à apercevoir. Ils sont généralement camouflés : ils prennent ou ont la couleur de leur environnement.

①

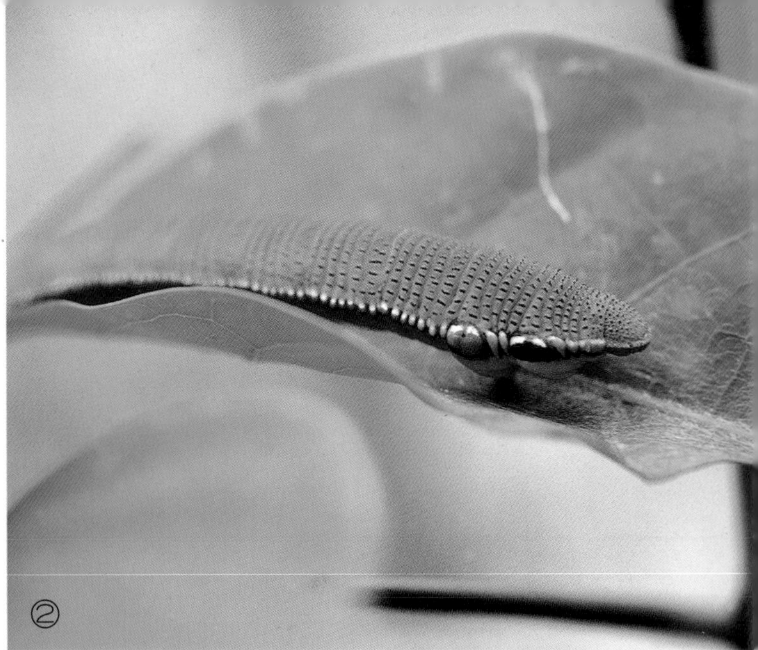

②

Nous imitons les autres

Qui n'est pas fort doit être intelligent. Certains animaux qui ne possèdent pas d'arme se contentent d'imiter un animal dangereux : par exemple, un serpent ou une guêpe. Parfois, ils imitent un élément de leur environnement.

① Les ailes de cet insecte présentent un motif en forme d'yeux censé effrayer les prédateurs.
② Cette chenille imite un serpent.
③ Cette chenille ressemble à une crotte d'oiseau.
④ Ce serpent inoffensif a l'air extrêmement dangereux.
⑤ Les motifs que cet animal arbore sur les ailes ne le font pas ressembler à un insecte.

De nombreuses méthodes de survie

① La mante religieuse a de nombreux petits. Il est certain que quelques-uns survivront.
② Cette araignée protège ses jeunes en les transportant sur le dos.
③ Lorsque le gecko se fait attraper, il abandonne sa queue et s'enfuit.
④ Certains lézards font le mort lorsqu'ils sont en danger.
⑤ Cette araignée se cache parmi les mouches mortes qu'elle laisse dans sa toile.

Certains animaux tentent d'échapper à leurs prédateurs en simulant la mort, ou en abandonnant une partie de leur corps.

③
④
⑤

D'autres ont beaucoup de petits.
Ce sont différentes manières de survivre.